DIETAS PARA COMBATIR LA PSORIASIS

En este libro, un médico naturista explica por qué la dieta es un factor tan importante en la psoriasis y cómo un control dietético cuidadoso puede contribuir a aliviar esta enfermedad.

HARRY CLEMENTS

DIETAS
PARA COMBATIR LA
PSORIASIS

«PLUS VITAE»

Título del original inglés:
DIETS TO HELP PSORIASIS

Traducción de:
VICENTE BORDOY

© HARRY CLEMENTS, 1981.
© 1983, EDAF, Ediciones-Distribuciones, S.A. Jorge Juan, 30. Madrid, para la edición en español por acuerdo con THORSONS PUBLISHERS LTD. (Inglaterra).
© 1983, EDAF MEXICANA, S.A.
por autorización de EDAF,
Ediciones y Distribuciones, S.A.
Madrid.

Reservados todos los derechos. Ninguna parte de este libro puede ser reproducida en cualquier forma o por cualquier medio, electrónico o mecánico, incluyendo fotocopiadora, grabadoras sonoras, etcétera, sin el permiso escrito del Editor.

I. S. B. N.: 968-445-019-2

IMPRESO EN MEXICO   PRINTED IN MEXICO

LITOARTE, S. de R.L.
F.C. de Cuernavaca 683, México 11520, D.F.

INDICE

Págs.

INTRODUCCION	11
I. ADOPCION DE UNA DIETA	17
II. PLAN DE TRATAMIENTO EN CUATRO SEMANAS	25
III. LA DIETA BASICA	37
IV. CONSEJOS DE ALIMENTACION SANA PARA LA PSORIASIS	51
V. COMO LOGRAR QUE LA TERAPIA DE DIETA RESULTE EFICAZ	69

Es una pena que la mayoría de los médicos consideren la psoriasis como una enfermedad desesperada de la piel, ya que con su actitud pesimista desalientan a muchos pacientes...
Así mismo, es un gran error insistir ante estos pacientes sobre la cronicidad de su enfermedad, ya que así adquiere fácilmente un complejo sobre su situación, y la mayoría de los expertos en el tratamiento de las enfermedades de la piel reconocen que esta actitud mental tiene efectos observables en la evolución de esta dolencia.

Dr. Schwartz

INTRODUCCION

La psoriasis es una enfermedad crónica de la piel que provoca un gran malestar a los pacientes. Se caracteriza por la aparición de manchas negras y rojizas en la piel, cubiertas de escamas blancas plateadas. Las partes del cuerpo más comunmente afectadas son los codos, rodillas, cuero cabelludo, uñas y región sacra, aunque en los casos más graves se ve afectada casi toda la piel. Comienza con una pequeña papila o grano rojizo. A medida que evoluciona, se forman escamas plateadas que tienden a unirse con otras papilas, formando así zonas de diferentes tamaños y formas. En las primeras etapas es difícil distinguir la psoriasis de otras dermopatías, pero la formación característica de las escamas plateadas de esta enfermedad confirma el diagnóstico. Al retirar las escamas rascando la zona, o por otros medios, se producen hemorragias locales.

En la mayor parte de los casos aparece primero en el cuero cabelludo o en los codos y rodillas, y a veces en la parte posterior de la zona sacra. Afortunadamente, el rostro no suele verse afectado; se supone que esto se debe a su constante exposición al sol y al aire. En algunos casos, la dolencia puede afectar a las uñas de las manos y de los pies, que se debilitan y decoloran. En casos graves y crónicos, pocas partes del cuerpo se ven libres de la enfermedad.

Las autoridades médicas han descrito diversos tipos de psoriasis, de mayor interés para los investigadores que para el paciente normal. Sin embargo, existe una asociación con la artritis aproximadamente en el 10 por 100 de los casos. Como sucede con la artritis reumatoide, las articulaciones se hinchan y duelen, especialmente las de las manos, dedos y pies, siendo las mujeres las más afectadas.

La psoriasis no es frecuente en los primeros años de la vida, pudiendo aparecer como mínimo a los tres o cuatro años. Los jóvenes son los más subceptibles aunque puede producirse mucho más tarde. Representa aproximadamente el 4 por 100 de todas las enfermedades de la piel, y las estimaciones para los Estados Unidos dan una cifra de aproximadamente siete u ocho millones de personas, que suponen el 2 por 100 de la población total; constituye un problema médico sin solucionar de considerables proporciones.

Los antecedentes de la psoriasis son muy interesantes y están muy relacionados con la actitud actual hacia esta enfermedad. Antiguamente se asociaba, en la mente de la gente, a la lepra y a la sífilis. En los primeros años del siglo XIX, los médicos descartaban esta suposición y consideraban a la enfermedad desde otra perspectiva más adecuada. Al mismo tiempo, se demostró que la psoriasis no es una enfermedad contagiosa, pero las ideas preconcebidas son difíciles de extirpar y aún se suscita en la actualidad la cuestión del contagio.

La desfiguración de la piel que tiene lugar en los casos muy graves hace que la situación resulte muy difícil de soportar; el paciente recuerda constantemente la existencia de la enfermedad debido a su manifestación visual, y no hay duda de que esto agrava el problema en el sentido psicológico. El paciente se niega a hacer una vida normal y considera las cosas desde un punto de vista pesimista —actitud que debe evitarse a toda costa—. El hecho de que muchas autoridades médicas afirmen que no existe cura para la enfermedad debe considerarse en su contexto apropiado, esto es, como una enfermedad crónica entre otras muchas para las cuales no es posible una curación médica directa; por ejemplo, artritis, diabetes y enfermedades coronarias.

La psoriasis ha estado sujeta a muchas formas diferentes de tratamiento, y resulta correcto decir que se han utilizado abundantemente remedios médicos y populares. Tanto la naturaleza intratable de la enfermedad como el deseo de ayuda por parte del paciente han añadido urgencia a la búsqueda de medidas paliativas. A lo largo de muchos años se ha utilizado en el tratamiento el alquitrán y sus derivados; la terapia ligera de rayos X y ultravioleta ha demostrado ser favorable en algunos casos y, como sería de esperar, se han desarrollado nuevas drogas para emplearlas en el tratamiento de esta enfermedad. Pero su utilización como paliativo está limitada, desde luego, por sus posibles efectos secundarios.

La psoriasis, al ser clasificada como enfermedad de la piel, ha conducido a la utilización de remedios casi exclusivamente externos; desde este punto de vista, se supone que ataca sólo a la piel y que no se ve afectada ninguna otra función del organismo. Es por esto que en la literatura médica relativa a la psoriasis no encontramos muchas referencias al estado general de salud y a la nutrición. Desde luego, en algunos casos se rechaza la hipótesis de que la alimentación y la nutrición desempeñen algún papel en la enfermedad. La piel no es exclusivamente la cubierta exterior del organismo, pues se halla relacionada con otras partes y funciones. Es uno de los sistemas de eliminación más importantes y está provista de abundantes vasos sanguíneos y nervios que tienen el objeto de desempeñar esta función vital. Comparte muchas otras funciones del sistema y responde a las condiciones internas. Una piel que funcione bien es indicio de una buena salud y bienestar general, de la misma forma que las variaciones en el estado general de salud de la piel constituyen una buena indicación de enfermedades en el organismo. Desde este punto de vista, una alimentación adecuada es de vital importancia en el mantenimiento y restauración de la salud de la piel; esto es cierto tanto para la psoriasis como para otras dolencias de la piel. En las páginas siguientes veremos cómo puede utilizarse la dieta para controlar esta penosa y extendida enfermedad.

I. ADOPCION DE UNA DIETA

En la adopción de una dieta para una enfermedad como la psoriasis, el éxito de ésta dependerá de su adaptación a las necesidades particulares del individuo, y la cooperación inteligente del paciente es fundamental para conseguir este objetivo. No se trata tan sólo de seleccionar alimentos según sus valores nutritivos —proteínas, hidratos de carbono, grasas, vitaminas y demás elementos—, ya que los alimentos producen diferentes reacciones según las personas, y este hecho tiene una especial aplicación a los pacientes de psoriasis. La antigua máxima "lo que alimenta a un hombre es veneno para otro" resulta muy apropiada en este contexto. Actualmente consideramos esta enfermedad como un tipo de alergia en que ciertas comidas producen una reacción adversa en el organismo, contribuyendo así a la dolencia. Se han identificado cierto número de alimentos a este respecto, entre los cuales se encuentran el trigo, chocolate, huevos, naranjas y otros; si se incorporan éstos a la dieta del paciente tendrán lugar reacciones adversas.

FACTORES AMBIENTALES

Un aspecto muy importante de los efectos alérgicos de ciertos alimentos es que sólo pueden descubrirse las reacciones negativas mediante pruebas. En consecuencia, el individuo debe tomar parte activa en el tratamiento. Aunque este sistema es más molesto que "prescribir una dieta", sólo podrá garantizarse el éxito de la dieta si se identifica el alergeno (suponiendo que exista).

Otro aspecto a considerar cuando se adopta una dieta para una enfermedad como la psoriasis son los antecedentes familiares. La mayoría de las autoridades médicas adscriben en parte su causa a un gen dominante; este factor hereditario es importante. Pero hay que recordar que los genes y el medio ambiente no pueden separarse, pues actúan conjuntamente. Por tanto, deberemos dirigir nuestros esfuerzos a controlar el medio ambiente y, en especial, los alimentos que ingerimos.

Muchas de las personas que sufren de psoriasis pueden examinar sus hábitos alimentarios a lo largo de los años, además de otros factores ambientales; es posible que varios miembros de la misma familia sufran esta enfermedad, lo cual puede conducir a pensar que la herencia ha desempeñado un papel importante. Pero hay que recordar que los mismos medios tienden a producir los mismos fines. Es necesario cambiar radicalmente los hábitos dietéticos que han persistido en la familia durante muchos años y que terminaron por minar la salud y resistencia a la enfermedad de sus miembros.

La razón de adoptar una dieta específica para una enfermedad como la psoriasis debe ir más allá de la satisfacción del hambre: debe tender a provocar un cambio radical en la química del organismo, debe darse prioridad al equilibrio ácido/alcalino del organismo. Aunque a este respecto es fundamental ingerir alimentos apropiados, la prueba definitiva vendrá dada por su incorporación al sistema, proceso en el que desempeñan un papel muy importante la digestión y asimilación. En cierto sentido, la digestión y asimilación de la comida es un proceso relativamente simple, y muchas personas creen que si los alimentos no les sientan mal inmediatamente, será prueba inequívoca de que son apropiados. Pero la clave de una buena nutrición estriba en la utilización de los alimentos por los millones de células del organismo. De hecho, una dieta formada por alimentos refinados, convencionales, puede carecer de algunos de los ingredientes esenciales; que una comida no siente mal inmediatamente no implica que la nutrición sea adecuada.

DIETA A BASE DE ALIMENTOS INTEGRALES

Una dieta a base de productos refinados puede carecer de todos los elementos vitales que se encuentran en la mayor parte de los alimentos naturales; por esta razón, habrá que incluir una cantidad mayor de alimentos naturales en las comidas diarias. Esto significa que, en la medida de lo posible, es necesario introducir alimentos en su estado natural en las comidas. Hay que comer abundantemente ensaladas frescas, verduras y frutas maduras, además de otros productos cocinados, como cereales integrales (trigo, avena, arroz, etc.). A diferencia de los alimentos refinados y concentrados, los naturales contienen todas las vitaminas, minerales y demás elementos esenciales en las proporciones adecuadas para que la nutrición favorezca un buen estado de salud y una facilidad para recuperarse de la enfermedad.

Desde luego, es cierto que en los últimos años estas ideas han prosperado entre muchas personas, que decidieron mejorar su régimen de comidas. Pero estos alimentos cumplen una función de primordial importancia en el tratamiento de diversas dolencias; y no se ha hecho especial hincapié en esto, en parte porque los individuos afectados tienden a confiar excesivamente en los medicamentos, y en parte porque se suelen subestimar los beneficios que podrían derivarse de una dieta adecuada. En enfermedades de la piel, especialmente en la psoriasis, se afirma con frecuencia que no existe prueba científica alguna de que el régimen de comidas desempeñe un papel importante. Esta actitud negativa suele influir desalentando al paciente a seguir este tipo de tratamiento.

Si tenemos que esperar a encontrar pruebas científicas de esto tendrá que pasar mucho tiempo y, entre tanto, gran número de pacientes se verán privados de esta ayuda. A través de gran experiencia práctica a lo largo de muchos años, puedo confirmar el hecho de que una dieta cuidadosamente ajustada, compuesta por buenas cantidades de alimentos naturales y exenta de alergenos, es la forma más eficaz de tratamiento. El sentido común me indica que una buena nutrición, basada en alimentos adecuados, debe ser prioritaria tanto en la salud como en la enfermedad.

DIETA EXENTA DE TOXINAS Y BAJA EN PROTEINAS

Desde luego, algunos pacientes que sufren de una enfermedad como la psoriasis —que tiene la peculiaridad de tener determinada relación con cierta aptitud física y mental— se limitan a ingerir los alimentos que les parecen más apropiados para su caso. A este respecto, la experiencia ha demostrado que, si es posible, hay que suprimir la carne y el pescado, pues estos alimentos tienden a producir toxinas en el organismo, agravando la situación. Quienes tomen esta decisión no tienen por qué tener una nutrición inadecuada. Muchas personas han decidido vivir con una dieta exenta de carne y, en consecuencia, gozan de una buena salud. Existe la suposición de que si se suprime la carne en la dieta habrá una carencia de proteínas; pero si se incluyen alimentos integrales en las comidas, cereales y legumbres, no hay peligro de que esto ocurra, especialmente si se toman productos de procedencia animal, como huevos, queso o leche.

De hecho, la experiencia ha demostrado claramente que los pacientes de psoriasis deben seguir una dieta relativamente baja en proteínas, evitando la ingestión de carnes. En cualquier caso, el abuso de estos alimentos por parte de muchas personas provoca una eliminación deficiente y, consiguientemente, un mal estado de salud. La mejor forma de evitar el estreñimiento de muchos enfermos de psoriasis es adoptar una dieta generosa en frutas, verduras y otros alimentos naturales; es mejor solucionar así este problema que utilizando drogas laxantes, que son simples paliativos.

RESUMEN

Todas estas ideas son importantes, y el paciente debe tenerlas en cuenta cuando decida adoptar una dieta para la psoriasis: hay que evitar aquellos alimentos que puedan causar reacciones alérgicas y utilizar los naturales e integrales siempre que sea posible; eliminar de la dieta alimentos refinados y concentrados, como el azúcar blanco, la harina blanca y derivados; evitar, o tomar con mucha moderación, alimentos a base de carne y no consumir alimentos que tengan muchas proteínas.

Al establecer las instrucciones dietéticas prácticas para controlar la enfermedad, habrá que tener en cuenta todos estos temas y comprender su importancia en el tratamiento.

II. PLAN DE TRATAMIENTO EN CUATRO SEMANAS

En el control dietético de la psoriasis es generalmente necesario efectuar un cambio radical en los hábitos alimenticios; esto requiere un período preliminar en que los nuevos cambios e ideas se introduzcan gradualmente. Puede ser conveniente dividir este período en cuatro semanas. La primera es tal vez la más difícil, puesto que sirve para comprobar la autodisciplina del individuo y su deseo de cooperar en la puesta en práctica de las nuevas ideas. En la primera semana de tratamiento, el objetivo básico es aumentar las funciones de eliminación del organismo, expulsando de esta forma las toxinas; estas substancias pueden estar presentes como resultado de una dieta anterior poco apropiada, que, por utilizar excesivas cantidades de carne y otros alimentos de alto contenido proteínico, haya sobrecargado el sistema. Como regla general, cuando se haya superado la prueba de la primera semana, el resto del tratamiento resultará más sencillo y agradable.

PRIMERA SEMANA

Día 1

Será un día de ayuno en que no deberán tomarse alimentos sólidos. La sensación de apetito se aplacará mediante buenas cantidades de zumos de frutas de diversos tipos —naranjas, pomelos, manzanas, piñas—. Podrá tomarse también limonada con un poco de miel o una taza de té suave con algo de leche sin azúcar.

Días 2 y 3

Si se desea, podrá tomarse una taza de té suave sin azúcar antes del desayuno. Se harán tres comidas exclusivamente a base de frutas de la siguiente lista: manzanas, naranjas, pomelos, peras, plátanos, melones, tomates, ciruelas, dátiles, pasas, melocotones, frambuesas, fresas, zarzamoras, higos y uvas. Habrá que tomar tres de estas frutas en cada comida, de forma que en dos días se habrán ingerido todas ellas. Es importante tomar frutas del tiempo siempre que sea posible, para aprovechar su frescura.

Días 4-8

Desayuno: Exclusivamente frutas, como se indicó en los días anteriores.

Comidas del mediodía: Una ensalada de todo tipo de verduras frescas, escogidas de esta lista: lechuga, col, zanahoria, pepino, berro, mostaza, mastuerzo, apio, rábano, cebolla, tomate, perejil (como en el caso de la fruta, en las comidas deberá incluirse toda la lista de vegetales). La ensalada se condimentará con una mezcla de jugo de limón, aceite vegetal y sal marina, añadiendo perejil finamente picado y cebolletas.

Cenas: Estas comidas deben constar de verduras cocinadas, escogidas de la siguiente lista: patatas, zanahorias, chirivías, coliflor, col, cebollas, espinacas, nabos, apio, guisantes, judías, brécol (broccoli) y alcachofas. Habrá que tomar tres de estas verduras en cada comida, preferiblemente estofadas, cocinadas al vapor o a presión. No se cocerán nunca en agua salada ni tirar el agua utilizada en la cocción. Podrá añadirse salsa de perejil (no de queso) o de levadura.

Si se prefiere, podrá invertirse el orden de la comida del mediodía y de la cena. En muchos casos, el efecto de esta semana de dieta se pondrá de manifiesto en una mejora del funcionamiento del intestino y en un color más claro de la orina y de las deposiciones.

SEGUNDA SEMANA

Al levantarse: Té suave (sin azúcar) o agua caliente con limón.

Desayuno: Sólo fruta, como en el caso de la primera semana.

Comidas del mediodía: Ensalada, como en la primera se-

	mana. Podrán añadirse alimentos a base de hidratos de carbono, como pan integral, arroz o patatas.
Cenas:	Igual que en la primera semana, pudiendo añadirse una tortilla u otro plato a base de huevos y queso.

Al finalizar esta semana examinaremos los resultados de las dos semanas de dieta. ¿Qué efectos han tenido sobre la digestión y eliminación? ¿Ha aumentado la flatulencia? ¿Ha causado algún alimento trastornos en la digestión? ¿Ha existido algún tipo de aversión hacia alguno de estos alimentos? Si fuera así, habrá que eliminarlo de la dieta (hay muchos otros para escoger). Al cambiar radicalmente la dieta (que es de lo que se trata) pueden experimentarse cambios temporales en las funciones digestivas.

TERCERA SEMANA

Al levantarse:	Té suave (sin azúcar) o agua caliente con limón.
Desayuno:	Un tipo de fruta, preferiblemente uvas o manzanas. Un vaso de leche o yogur.

Comidas del
mediodía: Lechugas y tomates con queso cremoso. Pan integral con mantequilla.

Cenas: Patatas asadas con un poco de mantequilla, guisantes, zanahorias, manzanas asadas, o higos y ciruelas estofadas.

Durante esta semana habrá que reducir el número de frutas y verduras. Hasta finalizar la tercera semana, la dieta habrá sido fundamentalmente alcalina y sus efectos sobre los síntomas de la dolencia serán notables.

CUARTA SEMANA

Al levantarse: Té suave o agua caliente con limón.

Desayuno: Frutas a elegir. Muesli con leche o cereales integrales, a elegir.

Comida del
mediodía: Ensalada hecha con una selección de las verduras preferidas, aderezadas con jugo de limón, aceite vegetal y sal marina, o mayonesa hecha

	en casa. Patata asada con mantequilla. Plátano u otra fruta seca, como dátiles e higos.
Cenas:	Dos o tres verduras cocidas a elegir, con una tortilla o huevos escalfados. Manzana asada o higos y ciruelas estofadas con crema.

¿PARA QUE SIRVE LA DIETA?

Estas cuatro semanas de tratamiento a base de dieta cambiarán con toda seguridad la actitud del paciente hacia los alimentos y la nutrición si se llevan a cabo cuidadosa y conscientemente, sobre todo si sus hábitos alimenticios han sido convencionales anteriormente. Por eso, conviene considerar algunas de las razones por las que el cambio puede contribuir al control de esta dolencia.

Hasta ahora, el individuo había tenido seguramente el hábito de pensar que la curación de su enfermedad residía en el tratamiento externo, a la vista de sus manifestaciones locales en la piel; ésta es, desde luego, la forma corriente de considerar la psoriasis.

El tratamiento a base de dieta se basa en una concepción muy diferente de la dolencia. Se supone que existe un factor constitucional del que forman parte muy diversas funciones del organismo, en particular las funciones de eliminación que llevan a cabo los intestinos, los pulmones, los riñones y la piel. Es muy fácil comprender que la eliminación es una función muy importante del organismo. En el sistema orgánico existe a continuación un proceso de construcción y descomposición de los productos de desecho que deben expulsarse del cuerpo, y los fallos en este proceso, o la deceleración del mismo, ejercen efectos adversos sobre todo el organismo y tal vez incluso en los procesos mentales.

Se sabe que la dieta desempeña un papel de gran importancia en todos los procesos de eliminación, y los tratamientos de cura natural han hecho siempre especial hincapié en esto. Se sabe también que cuanto más naturales sean los alimentos que se incorporan a la dieta más eficaz será el proceso de eliminación. Estos alimentos al contener fibras y otras substancias naturales, proporcionan el estímulo necesario para la eliminación; ésta es la razón para utilizar ensaladas, alimentos poco cocidos y cereales integrales. Por otra parte, las carnes y los alimentos refinados como la harina y el azúcar refinados, de uso tan corriente, tienden a detener el proceso de eliminación, al mismo tiempo que añaden nuevas substancias tóxicas al sistema.

Los individuos, al considerar las funciones de eliminación, suelen contemplar la función intestinal como la más importante —en ocasiones como la única—. Desde luego es muy importante, pero, a diferencia de los restantes procesos de eliminación a través de los pulmones, riñones y piel, no está relacionada directamente con la circulación de la sangre. El conducto digestivo se extiende a lo largo de todo el cuerpo y los alimentos que se ingieren son atacados por los jugos digestivos para que su absorción resulte sencilla. El residuo se elimina mediante el intestino.

El paso normal de los alimentos y productos de desecho a lo largo de todo el conducto es muy importante para mantener una buena salud y tratar todo tipo de enfermedades. La composición de los alimentos vendrá determinada, en gran medida, por la función intestinal: si están formados principalmente por alimentos naturales con contenido de fibra, el paso de los mismos a lo largo del conducto digestivo se efectuará a un ritmo normal y se eliminarán convenientemente los residuos. En cambio, si la dieta estuviera compuesta principalmente por productos animales, junto con grandes cantidades de alimentos refinados y concentrados, el proceso se restrasará y las substancias retenidas durante períodos prolongados provocarán estreñimiento.

En los últimos tiempos, el estreñimiento ha sido responsable de muchas enfermedades, entre ellas el cáncer, aparte las molestias locales que provoca, no hay duda que desempeña un papel muy importante en otras dolencias que afectan a los riñones y la piel. Muchas autoridades médicas reconocen que el extreñimiento suele acompañar a la psoriasis, hecho que puedo confirmar gracias a mi experiencia en el tratamiento de la enfermedad.

Este problema no es posible solucionarlo con substancias laxantes; su utilización puede resultar contraproducente. La dieta debe contribuir a la eliminación; por eso el plan de tratamiento en cuatro semanas es tan importante. No hay duda de que si se lleva a cabo cuidadosamente se conseguirán progresos importantes hacia la recuperación.

OBSERVACION DE LOS EFECTOS

El paciente debe hacer inventario de los efectos del tratamiento no sólo en lo relativo a la situación de la piel, sino también respecto a sus efectos sobre las condiciones generales de salud y bienestar. ¿Se ha visto afectado el nivel general de salud? ¿Cuáles son los efectos sobre pequeñas dolencias anteriores? ¿Ha mejorado la tendencia a coger catarros y resfriados? ¿Y los dolores de cabeza? Muchas personas que sufren de dolores de cabeza se resignan a soportarlos o se limitan a tomar una aspirina o remedio similar para aliviar su malestar. ¿Ha contribuido la dieta a aliviar esta situación? ¿Cuáles han sido sus efectos sobre la digestión?

Si anteriormente existían molestias digestivas, por ejemplo ardor de estómago, ¿han respondido favorablemente a la dieta? ¿Se ha observado algún cambio en la actividad del intestino y en el flujo de orina? Es de esperar que se produzcan ambos efectos mediante una dieta que permita una mayor eliminación.

Si no se experimenta molestia alguna con los diversos alimentos que se utilizan en la dieta, es razonable suponer que no estamos ingiriendo ningún alergeno. Sin embargo, de haber rechazado algún tipo especial de comida que hubiera causado transtornos digestivos, sería buena idea ingerirla en tres o cuatro ocasiones y observar sus efectos. Al igual que con los productos farmacéuticos, no hay que olvidar que existen interacciones entre los alimentos. Recientemente, las interacciones de productos farmacéuticos han sido objeto de muchas investigaciones médicas, puesto que las combinaciones de substancias pueden inducir efectos secundarios indeseados. Lo mismo puede ocurrir con los alimentos, y este hecho debe tenerse en cuenta siempre que una determinada comida parezca asociada a desórdenes digestivos. No cabe duda de que combinando apropiadamente los alimentos favoreceremos el funcionamiento del sistema digestivo. Trataremos este tema más tarde.

III. LA DIETA BASICA

Después de poner en práctica el plan de tratamiento de cuatro semanas, el paciente debe pensar en la planificación de una dieta básica que se convierta en un hábito alimenticio general. Hay que decir, sin embargo, que en casos agudos puede ser necesario llevar a cabo el plan de tratamiento en cuatro semanas dos o más veces hasta controlar la dolencia. Pero, en cualquier caso, habrá que emplear un mes después de cada tratamiento. Si debido a ciertas circunstancias, por ejemplo un viaje u otra situación, no es posible utilizar los alimentos apropiados, sería deseable, como medida preventiva, readaptar el plan.

Generalmente, la mayor parte de las personas hacen tres comidas al día; mantendremos este sistema al planificar la dieta básica, y así conseguiremos que haya tiempo suficiente entre las comidas para que el proceso digestivo puede llevarse a cabo. Por otra parte, no hay necesidad de ser rígido respecto al número de comidas por día. Algunas personas mantendrán que dos comidas al día permiten que la digestión se efectúe de modo más favorable. Hace algunos años, el doctor Dewey utilizó este plan en el tratamiento de sus pacientes y afirmó haber tenido mucho éxito. Se denominaba plan sin desayuno; en un país donde la sobrealimentación y las enfermedades ligadas al exceso de peso son tan abundantes, un plan como éste tiene que conseguir, a la fuerza, buenos resultados.

UNA DIETA EQUILIBRADA

Para un individuo normal, el plan de tres comidas al día es seguramente el mejor régimen que puede llevarse a cabo en la práctica: tiene la ventaja de proporcionar cierto orden a los hábitos dietéticos y permitir que puedan incluirse gran número de alimentos en las comidas; cuanto mayor sea el número de alimentos, mayores serán las combinaciones complementarias posibles; permite, por ejemplo, utilizar frutas en una comida en combinación con otros alimentos. En la siguiente comida, las ensaladas pueden constituir el plato básico, y en la siguiente predominar las verduras cocidas.

Este plan tiene muchas ventajas: asegura el equilibrio no sólo dentro de una comida, sino también de los alimentos que se ingieren a lo largo del día. Es mucho mejor hacer esto que tomar alimentos de manera convencional, sin tener en cuenta el equilibrio de la nutrición. Otro punto importante es que da prioridad a las frutas y verduras naturales, enteras, que constituyen la mejor fuente de vitaminas y minerales. Invierte el orden normal de las comidas y se opone a la idea de muchas personas de que estos alimentos son simples guarniciones.

Hacer hincapié en la importancia de estos alimentos tomados de esta manera no sólo exige prestar más atención a su utilización, sino que además se suscita un nuevo interés en el número de productos alimenticios a utilizar. El contenido mineral y vitamínico de frutas y verduras varía considerablemente, y para conseguir un suministro de elementos nutritivos fundamentales habrá que ingerir una cantidad suficiente de estos alimentos. Esto reviste particular importancia en cualquier forma de enfermedad, y en dolencias crónicas como la psoriasis es importantísimo que todos los elementos esenciales formen parte de la dieta.

Otro punto interesante en relación a esto es que la dieta propugnada aquí tiende a limitar la utilización de proteínas e hidratos de carbono, de los que tanto se abusa normalmente. Las frutas, ensaladas y verduras cocidas pueden sustituir, con gran ventaja para el paciente, a los alimentos a base de proteínas e hidratos de carbono como parte fundamental de la comida. La limitación de alimentos proteínicos es un factor fundamental que el paciente debe de tener en cuenta si desea controlar su dolencia. Esto puede aplicarse especialmente, desde luego, a las proteínas animales.

UN CASO DE EXITO

Posiblemente los pacientes se sientan alentados si saben que por lo menos un médico ha utilizado una dieta baja en proteínas en el tratamiento de la psoriasis con un éxito considerable. Hace algunos años, el doctor L. D. Bulkley, de Nueva York, después de muchos años de seguir esta práctica, emitió el siguiente informe.

> "La eliminación de proteínas de origen animal en la dieta ha tenido resultados notables y sorprendentes en muchos aspectos. Los pacientes observan el cambio en la coloración y carácter de la erupción, que se vuelve de un color más suave y tiene menos esca-

mas, desapareciendo incluso totalmente en algunas semanas sin efectuar tratamiento local alguno... Muchos pacientes han seguido con fe este tratamiento, consiguiendo la desaparición de una enfermedad que, en ocasiones, llevaban arrastrando mucho tiempo. Una vez habituados a la dieta, afirman que ya no les apetece la carne y que no volverán a comerla."

Por desgracia, estos informes no parecen afectar a la opinión médica general, que presta muy poca atención a la dieta y al factor de la nutrición en el tratamiento de esta dolencia. Algunos adoptan incluso una actitud bastante irracional, negando cualquier relación entre la psoriasis y el régimen de comidas. Si dejamos de comer durante un período prolongado de tiempo acabaremos muriendo; si vivimos con alimentos deficientes sufriremos enfermedades de carencia; si comemos con exceso, sufriremos de obesidad y otras dolencias. Parece, pues, razonable afirmar que cuando el organismo sufre una crisis de cualquier enfermedad será necesaria la ayuda de la nutrición para contribuir a su recuperación.

DIETA BASICA PARA LA SEMANA

Veamos ahora cómo pueden aplicarse las ideas expuestas en la planificación de una dieta básica para la semana. En primer lugar, debemos prestar atención a la naturaleza de las comidas en relación con la situación del organismo y las actividades físicas y mentales del individuo.

Desayuno

A este respecto, la primera comida del día es muy importante. La mayoría de las personas cenan tres o cuatro horas antes de acostarse, y el período de sueño dura aproximadamente ocho horas, de manera que a la hora del desayuno el estómago estará vacío. Durante el sueño, las membranas del conducto digestivo tienden a secretar productos tóxicos en el estómago y los intestinos. Las personas que sufren de catarro saben muy bien que se acumula durante la noche y se libera por la mañana.

No cabe duda que la fruta fresca tiene un valor de gran importancia en el desayuno, pues sus ácidos y fibras ejercen un efecto estimulante y limpiador de las membranas de los órganos digestivos, acelerando el paso de los productos de desecho y suministrando al mismo tiempo al sistema vitaminas y minerales en un momento en que la absorción de estas substancias es óptima. Para algunas personas es suficiente un desayuno a base de frutas frescas y secas durante todo el año, pero otras necesitan, sobre todo en tiempo frío, alimentos adicionales que contengan hidratos de carbono o leche. En todo caso, aun cuando se añadan estos alimentos, habrá que tomar una buena cantidad de frutas frescas en la primera parte del desayuno.

Almuerzo

Hay que observar que el almuerzo suele tomarse cuando la actividad física o mental se utiliza al máximo y cuando se han gastado grandes cantidades de energía nerviosa. En consecuencia, habrá que invertir la menor energía posible en el proceso digestivo y, contrariamente a la opinión general, una ensalada de verduras frescas es mucho mejor que las comidas cocinadas. Por esta razón, la ensalada debe constituir la parte principal de esta comida y, con la fruta, la primera parte de la misma. Quienes deseen sentirse con energías durante todo el día pueden añadir algunos alimentos a base de hidratos de carbono.

Cena

La cena es un momento de placer y constituye, indudablemente, el mejor momento para los alimentos cocinados, pues se toma en el momento del día destinado a la relajación, y esto puede resultar beneficioso para la digestión. Los alimentos que se ingieran en esta comida deben ser los más apropiados para cocinar. Dentro de esta categoría podemos incluir las patatas, raíces y algunas otras verduras; esto mismo puede aplicarse a algunos productos animales, especialmente la carne y el pescado. Es un error utilizar productos hechos a base de azúcar y grasas, como los pasteles; es mucho mejor tomar una manzana asada, o fruta similar, en aras de una mejor digestión. En esta comida, como en las demás, las frutas formarán la primera parte de la comida.

**DIETA BASICA:
MENUS PARA SIETE DIAS**

Día 1

Desayuno: Frutas frescas y secas exclusivamente.

Almuerzo: Ensalada de tomates, pepinos, y lechuga, aderezada con jugo de limón, aceite vegetal y sal marina. Pan de centeno y mantequilla.

Cena: Manzana asada. Patatas cocidas, zanahorias y guisantes. Queso gratinado.

Día 2

Desayuno: Frutas frescas y secas. Yogur.

Almuerzo: Berros, aguacates y tomates con queso. Pan de trigo o centeno integral con mantequilla.

Cena: Pomelo. Patatas asadas, espinacas y tortilla.

Día 3

Desayuno: Frutas frescas y secas. Tostada de pan integral con mantequilla.

Almuerzo: Ensalada o col picada, pimienta roja o verde y apio, aderezada con mayonesa. Pan de centeno con mantequilla.

Cena: Uvas. Arroz integral con cebollas.

Día 4

Desayuno: Frutas frescas y secas; gachas de avena.

Almuerzo: Achicoria, zanahorias ralladas, cebolletas, rábanos, todo ello aderezado con jugo de limón, aceite vegetal y sal marina.

Cena: Melón. Patatas y cebollas asadas. Queso rallado.

Día 5

Desayuno: Frutas frescas y secas. Muesli con leche o yogur.

Almuerzo: Apio con zanahorias ralladas. Picar finamente ajos y cebolletas y añadir jugo de limón, aceite vegetal y sal marina como aderezo. Pan de centeno con mantequilla.

Cena: Melocotones. Patatas asadas, coliflores con salsa de apio. Huevo escalfado.

Día 6

Desayuno: Frutas frescas y secas. Trigo con leche.

Almuerzo: Tomates, lechuga, remolacha en rodajas. Añadir el aderezo del quinto día.

Cena: Sopa vegetal. Patatas asadas con zanahorias y guisantes, judías o habichuelas. Queso.

Día 7

Desayuno: Frutas secas y frescas. Yogur o un poco de requesón.

Almuerzo: Aguacate, lechuga, mostaza y berros. Aderezar con mayonesa hecha en casa. Pan de trigo integral con mantequilla.

Cena: Ciruelas cocidas, patatas cocidas con piel y coles de Bruselas. Huevos escalfados.

Estos menús para siete días deben ser posteriores al tratamiento de cuatro semanas. Pueden efectuarse algunas variaciones, siempre y cuando se observe el modelo general. Desde luego, deben utilizarse las frutas y verduras del tiempo que se encuentren en el mercado o puedan cultivarse en el jardín. Todo depende también de los gustos personales; no cabe duda de que algunas de las comidas serán más gustosas que otras. En los menús futuros pueden introducirse más frecuentemente los alimentos preferidos.

EVITAR LAS TOXINAS

Obsérvese que en las listas de alimentos se han excluido cuidadosamente todas aquellas comidas refinadas y concentradas. Se sabe que la piel es muy sensible a cualquier substancia tóxica que penetre en el sistema. Muchos de los efectos secundarios de los medicamentos se reflejan en una reacción de la piel en forma de erupciones; siempre que ocurra esto deberá buscarse otra substancia alternativa. En la preparación de alimentos refinados suele incluirse azúcar blanca, harina blanca y muchos conservantes y aditivos. Son millares los aditivos artificiales utilizados actualmente, y aunque las autoridades intentan que sean seguros, no se puede prever la reacción individual a los mismos. A través de largas y tristes experiencias hemos aprendido que no existe ningún medicamento totalmente seguro, pues su reacción dentro del organismo no puede predecirse con exactitud. Esto también se aplica a todas las substancias extrañas utilizadas en la preparación de diversos artículos alimenticios.

Por supuesto, no es posible vivir en una sociedad industrial estando completamente a salvo de estas substancias, pero podemos avanzar mucho en su eliminación utilizando, siempre que sea posible, alimentos naturales enteros, especialmente si se encuentran lo más cerca posible de su estado natural. Si esto es importante para todas las personas, lo es aún más para quienes sufren problemas de la piel, especialmente los pacientes de psoriasis. Desde luego, la forma moderna de vida hace que sea cada vez más difícil producir alimentos integrales. Quienes dispongan de jardín pueden cultivarlos, con lo que contribuirán a su salud y bienestar.

Hay que insistir en que el paciente de psoriasis debe elegir buenas cantidades de alimentos naturales enteros para sus comidas.

IV. CONSEJOS DE ALIMENTACION SANA PARA LA PSORIASIS

Hace muchos siglos, Hipócrates, considerado padre de la medicina, afirmaba que la comida es el mejor remedio. Los alimentos deben ser de buena calidad e ingerirse en cantidades adecuadas para que cumplan su propósito. Desde luego, en el sentido extricto del término, la comida no es un remedio, sino más bien una necesidad. Es fundamental para mantener la salud y resistencia a las enfermedades y como complemento al poder curativo del organismo en la recuperación de la enfermedad.

Por tanto, desde este punto de vista, no debe desestimarse su importancia en todo tipo de enfermedades.

HABITOS CORRECTOS DE ALIMENTACION

Una vez solucionado el problema de obtener alimentos buenos y apropiados deberemos asegurarnos de no perder sus ventajas debido a hábitos erróneos de alimentación. La mayoría de las personas comen de manera poco consciente, dando poco valor al poder nutritivo de los alimentos y a sus consecuencias en el organismo. Beber demasiado té y café y utilizar discriminadamente grasas y azúcar constituyen hábitos que van minando poco a poco la salud; pero este hecho no suele tenerse en cuenta. Actualmente, muchas personas están empezando a darse cuenta de la relación entre estos hábitos y las enfermedades cardiacas; pero también tienen relación con otros tipos de enfermedades, entre las que se encuentra, por supuesto, la psoriasis.

Para utilizar adecuadamente los alimentos, debemos recordar algunas notas elementales. Pocas personas comen porque tengan realmente hambre, sino más bien a causa del estímulo de la hora y de la comida servida. El apetito queda satisfecho de manera engañosa mediante alimentos edulcorados y condimentados. Esto provoca una sobrealimentación, que se halla ampliamente extendida en sociedades en que los alimentos refinados y envasados forman la mayor parte de la dieta. Este tipo de comidas son responsables, en gran medida, de la suciedad de la lengua, brotes frecuentes de resfriados y catarros, dolores de cabeza y sensación de pesadez al levantarse por la mañana.

Por ello, el individuo debe dedicarse a fomentar hábitos correctos de alimentación y a ser respetuoso con las necesidades de su organismo. Comer cuando no es necesario constituye una imposición que proporciona muy pocos resultados beneficiosos. La sobrealimentación conduce a la obesidad y a un trabajo excesivo de los órganos digestivos, con el consiguiente drenaje de la energía vital y del sistema nervioso y la continuación de las dolencias actuales en el futuro. Entre las comidas debe transcurrir un lapso de tiempo suficiente para que el estómago se vacíe y esté así preparado para recibir la siguiente comida. Cuando nos encontremos agotados física o mentalmente es mejor aplazar la siguiente comida para que el organismo esté descansado. Comer con demasiada rapidez evita la masticación apropiada de los alimentos; por tanto, los alimentos a base de hidratos de carbono no se mezclan totalmente con la saliva, lo que provoca su fermentación en el estómago y flatulencia. Las tensiones de todo tipo afectan al proceso digestivo, a la asimilación de los alimentos y reduce la resistencia a la enfermedad. El efecto de una tensión excesiva en el corazón y en la circulación está ampliamente aceptado hoy en día, y puede aplicarse a otras muchas enfermedades, incluida la psoriasis.

SELECCION DE BUENOS ALIMENTOS

El papel que desempeña el individuo en la terapia dietética no debe ser minimizado. La autocuración es, desde luego, un elemento muy importante, y el paciente debe comprender con claridad esta necesidad vital para cooperar inteligentemente en el tratamiento. Es necesaria la autodisciplina para controlar el apetito, y seleccionar los alimentos más apropiados depende, en última instancia, de la propia iniciativa del individuo.

El aumento en el número y variedad de productos importados permite escoger muchos alimentos naturales fuera de su época de recolección. Los alimentos a base de cereales integrales son especialmente importantes: el trigo, la avena y el arroz forman parte substancial de la dieta diaria; el pan, las galletas y otros productos deben de estar fabricados con harina de trigo integral para que contengan fibra, substancia que falta en la harina blanca.

Lo ideal es que este pan sea fabricado en el propio hogar mediante la sencilla receta que aconsejan los distribuidores de harina. El arroz y avena integrales son alimentos de gran valor nutritivo, pero bastante feculentos; sin embargo, combinan muy bien con las ensaladas.

CEREALES PARA EL DESAYUNO

Los cereales para el desayuno deben escogerse cuidadosamente, puesto que no suelen estar hechos de granos integrales. Es aceptable utilizar productos a base de trigo y avena integral; para una dieta bien equilibrada lo más recomendable es incluir muesli en el desayuno. Como son alimentos feculentos, es necesario masticarlos bien. No siempre es bueno añadir leche y azúcar, ya que la leche ablanda los cereales y permite su deglución sin masticarlos bien, provocando indigestiones. Es mejor comer estos cereales secos y evitar el azúcar (lo mejor es utilizar un poco de miel). Son apropiados para el tiempo frío y pueden añadirse a las frutas.

Carnes

La mayoría de la gente considera la carne y el pescado como fuentes esenciales de proteínas. Como ya se ha dicho, la experiencia ha demostrado que, en el caso del paciente de psoriasis, es preferible seguir una dieta baja en proteínas, debiendo por tanto, excluir estos alimentos. Para aquellos que no deseen cambiar de manera tan drástica sus hábitos alimenticios, es aconsejable que se ciñan al consumo de pollo y pescado blanco. Sin embargo, es necesario hacer dos observaciones importantes respecto a estos dos alimentos: en primer lugar, deben cocerse totalmente, y en segundo, si se vuelven a calentar, hay que asegurarse de que el calor penetra totalmente en el producto.

Huevos

Los huevos son alimentos fundamentalmente proteínicos; por tanto, el paciente debe consumirlos con moderación. Constituyen un alimento muy concentrado, sin contenido de fibra, y no deben tomarse más de tres o cuatro veces por semana; combinan bien con verduras cocidas, sustituyendo al pescado y la carne; son ricos en azufre, como se demuestra por la decoloración que provocan en cucharas y recipientes de aluminio; se pueden asar, cocer o escalfar, pero siempre muy ligeramente, para facilitar la digestión.

Productos lácteos

Los productos lácteos contribuyen favorablemente en la nutrición. La leche debe considerarse como un alimento sólido y no simplemente como una bebida. Combina bien con frutas frescas y secas, productos con los que forma un alimento completo. Debe tomarse lentamente mediante una cuchara o a sorbos; si se bebe con rapidez no llegará a cuajar en el estómago y la digestión será difícil. Si se mezcla con jugo de frutas, cuajará con mayor facilidad; puede utilizarse jugo de piña para cuajar la leche, pues además de facilitar la digestión constituye una bebida agradable.

Los productos derivados de la leche forman una parte importante de la dieta vegetariana. El queso, la mantequilla, la crema, el requesón y el yogur, en combinación con frutas, ensaladas y verduras cocidas, constituyen una excelente nutrición; como son ricos en proteínas, deben utilizarse con moderación; pero su inclusión en la dieta contribuye a evitar ciertas carencias (lo que no quiere decir que una dieta vegetariana exenta de estos productos, si se planifica apropiadamente, no sea nutritiva).

El queso fuerte es un buen alimento que puede sustituir al pescado o la carne en una comida. Se digiere lentamente, aunque no es indigesto, y si se cuece tarda más en digerirse. Su valor proteínico es elevado, por lo que debe utilizarse con moderación por parte de aquellas personas que deben mantener una dieta baja en proteínas. Combina excelentemente con frutas, ensaladas y verduras cocidas (excepto patatas), y se digiere más fácilmente así que si se combina con hidratos de carbono. La mantequilla y la crema son, posiblemente, las grasas de origen animal más apropiadas, pero deben utilizarse con moderación; si no se incluye ninguna otra grasa animal en la dieta, podrán consumirse en cantidades algo mayores. Es mejor consumir mantequilla sin sal.

El requesón y el yogur son los dos alimentos más útiles y con mayor capacidad de adaptación; ambos deben utilizarse para complementar las ensaladas de frutas y verduras, formando una combinación adecuada para el equilibrio nutritivo. Cuando se consuma requesón hay que recordar que constituye un sustituto de la carne y añade calcio al organismo. El yogur es leche cuajada que contiene ácido láctico; combina bien con frutas y ensaladas de verduras, y cuando se consume de esta manera es muy valioso en la restauración y mantenimiento de la flora intestinal.

Judías, guisantes y lentejas

Aunque las judías verdes y los guisantes deben considerarse verduras frescas, sus semillas secas, junto con las de otras legumbres, como las lentejas, hacen una valiosa contribución a las comidas; constituyen una combinación de proteínas y elementos feculentos que contribuyen a la alcalinidad del sistema. Necesitan de una preparación concienzuda y cierta habilidad en la cocina; deben consumirse con moderación. Combinan bien con las ensaladas de verduras, pero deben utilizarse moderadamente al principio. Hay que recordar que en muchas personas producen flatulencia.

Nueces

Las nueces tienen un gran contenido proteínico y es preferible consumirlas sin someterlas a manipulaciones. Como es necesario masticarlas bien, una mala dentición puede constituir un obstáculo. Los cacahuetes no son nueces: pertenecen a la familia de las leguminosas, aunque actualmente sea aceptada su clasificación como nuez. Tostados son sabrosos y constituyen un buen alimento. Proporcionan un aceite muy ligero que puede utilizarse para aderezar ensaladas. Puede fabricarse también mantequilla de cacahuete, que, si se procesa cuidadosamente y no se añade un exceso de sal, sirve para acompañar a las comidas. Es un alimento con elevado contenido proteínico. En un análisis hecho hace tiempo por el profesor J. Russell Smith, de la universidad de Columbia, se dice que "contiene más proteínas que un filete de solomillo del mismo peso, más hidratos de carbono que las patatas y la tercera parte de grasas que la mantequilla". Debe consumirse con moderación.

Verduras cocinadas

Es necesario, además de deseable, cocinar algunas verduras, pues este proceso hace que sean más gustosas y digeribles. Este es el caso de las patatas y otros tubérculos. Puede aplicarse también a las judías verdes, guisantes y algunas verduras de hojas comestibles. Pero la cocción cambia también la naturaleza de los alimentos y los priva de parte de su valor nutritivo. Las verduras cocidas tienden a fermentar, y esta fermentación provoca una sensación de plenitud después de las comidas. Las verduras no cocidas tienden a detener la fermentación y no provocan plenitud después de su ingestión. Por esta razón, algunas personas tienen la equivocada impresión de que los alimentos cocinados son más nutritivos que los no sometidos a ese proceso; lo más probable es que se coma en exceso cuando se trata de alimentos cocinados.

Para obtener el máximo valor de las verduras cocinadas, el proceso deberá ser muy cuidadoso. Hervirlas en gran cantidad de agua salada y tirar después el líquido es una locura. Si se hierven, habrá que utilizar la mínima cantidad posible de agua, que se conservará después para hacer sopas u otros platos. Pueden cocerse al vapor, a presión, y también asarse al horno para conservar su valor nutritivo y hacer que sean apropiadas para una buena digestión. Hay que observar que algunas verduras, si son jóvenes, pueden comerse en su estado natural; por ejemplo, los guisantes. Esto puede aplicarse también a las raíces vegetales, que se usan picadas en ensaladas. Las verduras crudas deben tomarse en cantidades inferiores a las cocidas; por ejemplo, pueden utilizarse unas cuantas hojas frescas de espinacas en la ensalada, pero a nadie se le pasa por la imaginación que sea posible comer la misma cantidad que cuando están cocidas.

Preparación de la ensalada

La ensalada es tal vez uno de los logros más importantes del arte culinario, puesto que satisface a la vista y al gusto y es nutritiva para el organismo. Hay muchos ingredientes donde escoger: lechugas, tomates y pepinos son seguramente los más utilizados y constituyen la base de una buena ensalada; pero existen otras hortalizas que se pueden comer crudas en ensalada, y que añaden su sabor y valor nutritivo. Plantas con hojas como los berros y la mostaza son excelentes para combinar en la ensalada, junto con rábanos, cebolletas y otros. La familia de las coles forma una buena base para la ensalada, especialmente en invierno. El corazón de esta hortaliza, si se pica finamente con brotes tiernos de brécol y coliflor, tiene gran valor nutritivo. Las raíces, como zanahorias, chirivías, nabos y alcachofas, cuando están frescas y tiernas, pueden picarse con las ramas de diversas hierbas, aportando sabores agradables.

El recipiente de la ensalada debe de ser tan atractivo a la vista como un jarrón de flores, y si el paciente tiene jardín podrán echarse unos cuantos pétalos de flores para realzar el colorido. El aderezo de la ensalada es importante, aportando sabor y valor nutritivo; la mayonesa hecha en casa es sencilla y sirve bien para este propósito. Habrá que batir una yema de huevo lentamente con chorros de aceite hasta que espese; en este momento se añadirá jugo de limón y sal marina. Una cucharada sopera de apio picado y cebolla realzará el sabor y el valor nutritivo. Puede hacerse un aderezo más sencillo mediante aceite vegetal, jugo de limón y sal marina, añadiendo perejil picado y cebolla. Batir bien o agitar en un recipiente cerrado. Se puede utilizar harina de soja en lugar del huevo, aunque la textura no será tan suave.

La ensalada de frutas se prepara de la misma manera que la vegetal. Los ingredientes son también muy variados y deben explotarse las posibilidades al máximo. Las manzanas y los cítricos pueden encontrarse durante todo el año, por lo que sirven bien para formar la base de esta ensalada. Desde luego, habrá que incorporar todas las frutas de la temporada que se encuentren en el mercado, especialmente fresas, frambuesas, cerezas y uvas. Puede utilizarse también una amplia gama de frutas secas: higos, dátiles, pasas de Corinto y pasas de Esmirna son siempre complementos interesantes; si se empapan con jugo de piña durante un rato sabrán más dulces. Como sucede con la ensalada de hortalizas, hay muchas combinaciones posibles.

Se deben utilizar productos lácteos en la ensalada de frutas, pues constituyen una combinación excelente, tanto desde el punto de vista culinario como nutritivo. Habrá que usar con moderación el requesón, alimento de gran contenido proteínico, más nutritivo que la carne. La crema, que pone de manifiesto los delicados sabores de las frutas, puede utilizarse ocasionalmente. A veces podrá efectuarse un cambio añadiendo yogur, un alimento realmente bueno para todas aquellas personas que les gusta.

Sopas

Las sopas complementan a las ensaladas. La cubierta exterior de muchas hortalizas no es apropiada para las ensaladas: las hojas exteriores de las coles y las partes verdes de los puerros constituyen buen ejemplo de esto. No deben tirarse, puesto que contienen valiosos elementos alimenticios, especialmente minerales: se pondrán a cocer junto con raíces y hojas de otras verduras y tallos de hierbas comestibles para realzar el sabor. Esta mezcla se hará cocer hasta que las verduras estén blandas, añadiendo sal marina.

Esta sopa básica podrá guardarse en el refrigerador para utilizarla de cuando en cuando. Puede enriquecerse para satisfacer los gustos personales mediante jugo o puré de tomate, harina de soja, avena, arroz integral y extracto de levadura. Aunque sabemos que la cocción elimina parte del valor alimenticio de las verduras, una sopa bien hecha conserva la mayor parte de los elementos nutritivos, y si se toma con galletas o pan de centeno, constituye una parte importante de la comida y se agradece mucho en invierno; en épocas de calor puede tomarse fría.

Bebidas

A lo largo del día se toman muchos tipos de bebidas, y aunque se consideran normalmente como líquidos, contienen, de hecho, elementos alimenticios sólidos. Por ejemplo, muchas personas añaden azúcar y leche al té o café; en muchas ocasiones, lo que buscan es más bien el sabor dulce que el té o café considerados en sí mismos. Si se toman estas bebidas, no hay que endulzarlas; deberán de estar recién hechas y no ser muy fuertes; además, no se pondrá ningún metal en contacto con ellas. Las personas que siguen una dieta con abundancia en frutas y verduras no tienen tanta necesidad de bebidas como aquellas cuyas comidas se componen principalmente de alimentos ricos en proteínas e hidratos de carbono.

Los jugos de frutas constituyen una excelente bebida y resultan apropiados para la mayoría de las personas. Por supuesto, tienen un buen valor alimenticio y contribuyen a la nutrición del organismo. El agua con limón, caliente o fría, es especialmente valiosa; pero la bebida mejor y más natural es el agua pura. Desde luego, la cloración del agua hace que muchas personas se nieguen a beberla en estado puro, por lo que prefieren añadir algo que enmascare el sabor. Si el agua embotellada de manantial contribuye a desarrollar el hábito de beber agua, será interesante consumirla en aras de una salud mejor.

Resumen

El paciente de psoriasis debe observar cuidadosamente las indicaciones anteriores sobre los alimentos y su utilización para que se conviertan en parte integral de su pensamiento sobre la dieta. Contribuirán seguramente a facilitar la selección de los alimentos más apropiados, servirán para seleccionar las mejores combinaciones que pueden hacerse con los mismos y ayudarán al proceso futuro de la dolencia. Obsérvese que se ha hecho especial hincapié en los alimentos integrales; esto tiene como misión persuadir al lector para que utilice una variedad lo más amplia posible de los mismos, particularmente frutas y verduras. He descubierto en la práctica que es mejor seguir esta dieta que limitar el número de alimentos y ciertas partes de los mismos para añadirlos después en otras comidas. Lo que hay que recordar es que los elementos alimenticios de una comida natural están bien equilibrados, pero que todos los elementos necesarios para una nutrición equilibrada no están contenidos en un solo alimento. Por tanto, cuanto mayor sea la variedad de éstos más probabilidades habrá de satisfacer por entero las necesidades del organismo.

V. COMO LOGRAR QUE LA TERAPIA DE DIETA RESULTE EFICAZ

En una dolencia resistente al tratamiento como la psoriasis hay que hacer todos los esfuerzos posibles para que pueda combatirse eficazmente; esto es particularmente cierto en la terapia de dieta. Puede que "seguir una dieta" o "ponerse a dieta" no sea suficiente; hay que tener en cuenta otros factores importantes. Es posible que la alimentación sea buena, adecuada y equilibrada, pero que el paciente no se encuentre en un estado apropiado para aprovecharla. Obviamente, no se trata exclusivamente de ingerir alimentos; el organismo debe ser capaz de aprovecharlos, y para conseguirlo tienen que intervenir ciertos factores vitales.

ENERGIA Y TENSION NERVIOSA

En primer lugar, es necesario que la energía nerviosa lleve a cabo eficazmente el proceso de digestión, asimilación y eliminación subsiguientes a la ingestión de alimentos. El almacenamiento de esta energía depende de la forma de vida de la persona: si vive por encima de sus medios físicos mentales y emocionales, sus reservas de energía nerviosa desaparecerán hasta llegar a un punto en que todas las funciones del organismo tengan lugar por debajo de la eficacia normal. Es necesaria una cantidad de energía física normal para formar energía nerviosa; pero un exceso de actividad conducirá al agotamiento. Trabajar bajo tensiones de todo tipo —preocupaciones, ansiedad, aburrimiento— exige un esfuerzo del sistema nervioso superior a su capacidad normal y puede provocar fatiga crónica.

Lo mismo puede decirse de las tensiones de naturaleza mental o emocional. El ritmo agotador de la vida moderna impone tensiones que resultan difíciles de soportar para el individuo medio; muchas veces se busca remedio a esto mediante la terapia de medicamentos. Esto se ve claramente reflejado en los millones de recetas de tranquilizantes extendidas todos los años. Cada vez acuden más pacientes a las consultas de los médicos por problemas de tensión nerviosa, origen muchas veces de otras enfermedades. Así, la energía nerviosa vital se va agotando hasta que la salud del individuo se ve afectada; pocas funciones del organismo se llevarán a cabo de manera eficaz y habrá síntomas de fatiga y depresión.

Podemos estar seguros de que el paciente de psoriasis sufre también tensión nerviosa como consecuencia de las molestias que acompañan a la enfermedad. Esto provocará un descenso de la energía nerviosa disponible en el sistema, con efectos negativos sobre todas las funciones del cuerpo. En tales circunstancias, los sistemas digestivo y excretor no funcionarán normalmente. Aunque los alimentos sean necesarios, no puede esperarse que el individuo los aproveche totalmente. Obtenemos energía de los alimentos, pero debemos recordar que en la digestión de los mismos utilizamos energía nerviosa. Por tanto, el estado general del sistema nervioso determina la utilización adecuada de los alimentos dentro del organismo; si este estado general no es correcto, la terapia de dieta no tendrá una completa eficacia.

SUSTITUCION DE LA ENERGIA PERDIDA

En muchos casos existe la necesidad real de rectificar las causas de agotamiento de la energía nerviosa. La experiencia ha demostrado que el paciente debe dormir, relajarse y descansar más; los que padecen de enfermedades nerviosas suelen tener problemas con el sueño. El calor de la cama puede actuar incluso como irritante, haciendo que resulte difícil conciliar el sueño; éste sirve para reconstruir la energía nerviosa perdida durante las actividades de la vida diaria, y no hay nada que afecte tanto a la capacidad digestiva como la falta de sueño.

El individuo puede recurrir a pastillas para dormir, pero el sistema digestivo sufrirá los efectos secundarios. Además, este tipo de sueño artificial no permite que la mente y el cuerpo del individuo se recuperen de igual forma que con el sueño normal. El paciente debe examinar las causas posibles, como uso excesivo de estimulantes (té y café) y recurrir a la relajación. La fatiga y la costumbre de trasnochar afectan al sueño; hay que recordar que acostarse antes de las doce de la noche permite un sueño más descansado.

La persona que sufre de tensión nerviosa no puede aprovechar los alimentos. El agotamiento constante de la energía nerviosa debilitará el poder de recuperación y curación del organismo, reduciendo la eficacia de los alimentos su contribución a este poder. El individuo debe comprender la necesidad de relajarse y vencerse a sí mismo:

darse cuenta de que el despilfarro de energía nerviosa no sirve para ningún propósito útil y que sólo conduce a mayores problemas.

Hay que hacer hincapié en que la terapia de dieta resumida en estas páginas desempeña un papel de primordial importancia en el proceso curativo natural del cuerpo humano. Ciertamente, es el único agente curativo natural, y es razonable esperar que el paciente ayude a la naturaleza durmiendo, descansando y relajándose de manera adecuada.

LIBROS PARA LA SALUD NATURAL

«PLUS VITAE» (Manual)

MACROBIOTICA. Una forma de alimentarse, *por Craig Sams.*

HIERBAS PARA LOS DOLORES DE CABEZA Y LA JAQUECA, *por Nalda Gosling.*

TES DE HIERBAS. Para curarse y conservar la salud, *por Ceres Esplan.*

LA MIEL, ALIMENTO Y MEDICINA NATURAL, *por Janet Bord.*

RECUPERE LA VISION SIN GAFAS, *por Harry Benjamin.*

PREVENCION Y TRATAMIENTO DEL CANCER POR LA DIETA, *por la Dra. Maud Tresillian Fere.*

NUEVOS TRATAMIENTOS CON PLANTAS DE LOS TRASTORNOS DIGESTIVOS, *por Frank Roberts.*

EL AJO. Suprema medicina vegetal, *por G. J. Binding.*

DIETAS PARA DIABETICOS. Tratamiento por los alimentos naturales, *por P. E. Norris.*

DIAGNOSTICO POR EL IRIS, *por Victor Davidson.*

REUMATISMO Y ARTRITIS. Medidas eficaces para combatirlos.

PIERDA PESO Y GANE SALUD. Consejos dietéticos para reducir peso y ganar esbeltez sin riesgo.

EL CAMBIO DE VIDA EN LA MUJER. Cómo enfrentarse a los trastornos de la menopausia.

NO MAS RESFRIOS. Cómo prevenirlos o curarlos por medios naturales, *por Oliver Clark.*

ENFERMEDADES DEL CORAZON. Su significado, causas y exitoso tratamiento.

EL LIBRO DE LAS ENSALADAS, *por Joan Lay.*

LA CURACION POR LAS FLORES. (Tres libros en uno): Cúrese usted mismo y Los doce remedios, *por el Dr. Edward Bach.* Catálogo de remedios del Dr. Bach, *por el Dr. F. J. Wheeler.*

ACUPRESION PARA TODOS. Autotratamiento mediante presión con los dedos, *por el Dr. Hans Ewald.*

- **HIERBAS QUE LE AYUDARAN A DORMIR,** *por Ceres Esplan.*
- **VEGETARIANISMO RACIONAL. Fáciles consejos para una dieta vegetariana saludable y bien equilibrada,** *por Harry Benjamin.*
- **BELLEZA NATURAL. Sea bella y atractiva por métodos naturales,** *por Carol Hunter.*
- **LA ALEGRIA DE DEJAR EL TABACO,** *por la Dra. Dee Burton y Gary Wohl.*
- **CONTROLE EL COLESTEROL POR LA DIETA. Menús para mantener el corazón sano,** *por Helen B. MacFarlane.*
- **LO MEJOR DE LOS SALUDABLES ALIMENTOS NATURALES. Las fuentes más ricas de la nutrición natural,** *por Jack Eden.*
- **RELAJACION. Cómo la naturaleza hace frente a la tensión,** *por James Hewitt.*
- **EL MAGNESIO, ELEMENTO NUTRITIVO QUE PUEDE CAMBIAR SU VIDA,** *por J. I. Rodale y Harald J. Taub.*
- **AROMATERAPIA. Utilización de las esencias de plantas como medio curativo,** *por el Prof. Raymond Lautié, con la colaboración del Dr. André Passebecq.*
- **CEREALES, FRUTOS SECOS Y SEMILLAS. Fuentes concentradas de la nutrición natural,** *por Helen Jeans.*
- **HIERBAS PARA LA BELLEZA DE LA PIEL. Cómo combatir con medios naturales las afecciones cutáneas más frecuentes,** *por Sarah Beckett.*
- **HIERBAS PARA TRANQUILIZAR LOS NERVIOS. Cómo lograr la armonía y salud del sistema nervioso,** *por Sarah Beckett.*
- **VITAMINA E. Llave de una juvenil longevidad,** *por el Dr. Raymond F. Bock.*
- **ULCERAS DE ESTOMAGO Y ACIDEZ. Remedios para evitar sufrimientos innecesarios.**
- **ESTREÑIMIENTO, HEMORROIDES Y COLITIS. Su tratamiento por la dieta y otros remedios.**
- **LAS HIERBAS. Cómo cultivarlas y utilizarlas,** *por Shaukat Khan.*
- **LAS VITAMINAS. Qué son y por qué las necesitamos,** *por Carol Hunter.*

TERAPIA COMPLETA CON ZUMOS DE FRUTAS Y VERDURAS. Guía completa sobre las facultades curativas y regeneradoras de los energéticos zumos naturales, *por Susan E. Charmine.*

VALORACION DE LOS ALIMENTOS. Guía para la perfecta nutrición, *por Barbara Davis.*

CURE SU ACNE. Dietas y nuevos tratamientos, *por el Dr. Gustave H. Hoehn.*

YOGUR, KEFIR Y DEMAS CULTIVOS EN LECHE, *por B. Trum Hunter.*

MEJORES ALIMENTOS, MEJORES NIÑOS, *por G. Larson.*

GINSENG. Qué es... qué puede hacer por usted, *por B. Ch. Harris.*

VIENE UN BEBE. Consejos y normas dietéticas para el embarazo...

COMO ELIMINAR EL DOLOR DE ESPALDA, *por la Dra. Dona Z. Meilach.*

GUIA DE CALORIAS, *por R. Newman Turner.*

LA ANGINA DE PECHO, *por R. William Thomson.*

RECETAS SIN SAL, PARA SALVARLE LA VIDA, *por Nancy Lloyd.*

EL VINAGRE DE SIDRA. Llave natural para la salud y vitalidad, *por Susan E. Charmine.*

LA LEVADURA, un alimento natural único y concentrado, *por P. E. Norris.*

AUMENTE SU ESTATURA, *por Ramon Madowy.*

LA HOMEOPATIA, *por el Dr. A. C. Gordon Ross.*

INTRODUCCION AL HATHA YOGA, *por Margaret Perkins.*

ALGAS. Para mejorar la salud y vitalidad, *por Frank Wilson.*

DIETAS UTILES EN LOS TRASTORNOS DE PROSTATA, *por Harry Clements.*

HIDROTERAPIA PRACTICA, *por Gerhard Leibold.*

HIPERTENSION. Principios dietéticos para combatir la tensión sanguínea alta.

LA ALERGIA, *por el Dr. Herman Hirschfeld.*

DIETA VEGETARIANA PARA ADELGAZAR, *por Leah Leneman.*

LAS ORTIGAS, MEDICINAS SILVESTRES, *por Claire Swan.*

EL CHAMPIÑON. El alimento natural con más alto contenido proteínico, *por G. J. Binding.*

LA DEPRESION. Cómo superarla, *por el Dr. C. A. H. Watts.*

EL HIGADO. Dolencias hepáticas y trastornos más comunes.

LA LECITINA, ENEMIGA DE LA GRASA, *por Paul Simons.*

LA TIMIDEZ VENCIDA EN TRES SEMANAS, *por el Dr. Jean Chartier.*

ALIVIO NATURAL DE LA ARTRITIS, *por John E. Croft.*

LA CONSUELDA Y LA BORRAJA, *por G. J. Binding.*

CABELLOS SANOS, *por James C. y Leslie Thomson.*

HIERBAS Y ESPECIAS PARA LA COCINA, *por Betty Allen.*

MINERALES PARA LA SALUD, *por Miriam Polunin.*

CURA NATURAL DE LAS VARICES Y ULCERAS VARICOSAS, *por J. Russell Sneddon.*

LAS MELAZAS. El maravilloso alimento de la Naturaleza, *por C. Scott.*

PRIMEROS AUXILIOS POR MEDIOS NATURALES, *por R. Newman Turner.*

CURA DE HIERBAS DE LA ULCERA DE DUODENO Y CALCULOS BILIARES, *por Frank Roberts.*

CURA NATURAL DEL ASMA Y FIEBRE DEL HENO, *por Alan Moyle.*

LA ARCILLA CURATIVA, *por Michel Abehsera.*

LA COCINA RICA EN FIBRA NATURAL, *por Karen Plageman.*

COMO VENCER EL STRESS, *por Alethea Lawson.*

MAGNETISMO CURATIVO, *por Leslie O. Korth.*

EN PREPARACION

COMO CONSERVAR LOS DIENTES SANOS, *por los Dres. Pierre Josse y Paul Miara.*

EL PODER CURATIVO DEL POLEN, *por Maurice Hanssen.*

EL DIENTE DE LEON, *por About Dandelions.*

LA MANZANILLA, *por Valter Curzi.*

LA SINUSITIS, *por Clifford Quick.*

TITULOS DE LA COLECCION «PLUS VITAE»

LA ACUPUNTURA, por *M. J. Guillaume, J. C. de Tymowski, M. Fiéve*
SU VIDA EN SUS MANOS, por *B. Hutchinson*.
LO QUE REVELA SU ESCRITURA, por *A. E. Hughes*.
QUE ES VEGETARIANISMO, por *R. Suzineau*.
MODERNO MANUAL DE YOGA, por *V. Hassin*.
LOS BIORRITMOS Y SU COMPORTAMIENTO, por *V. Mallardi*.
POR QUE Y COMO CORRER, por *G. A. Sheehan*.
EL LIBRO DE DORMIR, por *James C. Paust y T. Robinson*.
SEXO Y ZODIACO, por *Helen Terrel*.
LA ATEROSCLEROSIS, por *J. Cottet y R. Cristol*.
¡CAMINE!, PODRIA CAMBIAR SU VIDA, por *J. Man*.
ABC DE LA RESPIRACION, por *C. H. Speads*.
KINESIOLOGIA DEL COMPORTAMIENTO, por *el Dr. J. Diamond*.
ENCICLOPEDIA COMPLETA DE EJERCICIOS, por *Diagram Group*.
EL LIBRO DE LA SALUD NATURAL (Del Edén a la Era de Acuario), por *G. Brodsky*.
BELLEZA INTEGRAL (Secretos de la Puerta de Oro), por *D. Szekely Mazzanti*.
MODERNA ENCICLOPEDIA DE HIERBAS, por *el Dr. J. M. Kadans*.
NUEVO TRATADO DE MEDICINA NATURAL, por *R. Dextreit y M. Abehsera*.
LA SALUD POR EL COLOR, por *el Dr. Theo Gimbel*.
UN CIERTO MODO DE VIVIR, por *Luis Sagi-Vela y Antonio Mingote*.
COMO SABER QUIEN ES USTED, por *Derek y Julia Parker*.
EL LIBRO DEL PAN TASSAJARA, por *Edward Espe Brown*.
MANUAL DE PRIMEROS AUXILIOS Y CUIDADOS DE URGENCIA, por *American Medical Association*.
LA BICICLETA (Un placer para todos), por *J. Corbeil*.
PEQUEÑA Y GRAN COCINA VEGETARIANA, por *M. Bédard*.
EL FUTBOL. Completa guía ilustrada para saber y disfrutarlo, por *Diagram Group*.
SALUD POR LA RADIONICA (Ciencia de la energía curativa), por *E. Baerlein y A. L. G. Dower*.
DR. PFEIFFER. SALUD TOTAL POR LA DIETA, por *el Dr. Pfeiffer*.
EL LIBRO DE LA REPOSTERIA Y FIBRAS NATURALES, por *Janet Hunt*.
ENSALADAS DE TODOS LOS COLORES, por *Cécile Chemin*.
LA SALUD EN LAS ESTACIONES, por *el Dr. M. Haas*.
LA ANTIEDAD, por *el Dr. André Rooveix*.
GOURMETS A REGIMEN, por *Odette Pannetier*.

152

01152555 24812848

Rosita

503-252-8762